Do Ultán, Aoife, Laoise agus Fódla

Caibidil a hAon

Turasóir

Tá Brigitte ar saoire in Éirinn. Tá suim aici sa dúlra. Téann sí suas ar an sliabh chun faire ar na héin agus caitheann sí an oíche i bpuball.

Stad Brigitte Schütte, d'amharc suas an gleann agus bhain a mála droma di féin. Bhí sí tuirseach agus bhí sí fliuch go craiceann. Leis an fhírinne a dhéanamh, bhí sí tinn tuirseach de bheith fliuch go craiceann. Mí Lúnasa a bhí ann. An samhradh, mar dhea. Samhradh Éireannach. Samhradh fliuch fuar Éireannach. Ba cheart go mbeadh *tagairt ar leith sna leabhair taistil do shamhradh

---

* tagairt *reference*

1

Éireannach, a smaoinigh sí. Ba cheart go míneodh na leabhair nach ionann ciall don samhradh in Éirinn agus sa Ghearmáin. D'fheicfeá an ghrian sa Ghearmáin le linn an tsamhraidh, a dúirt sí léi féin. D'fheicfeá spéir ghorm os do chionn. Bhraithfeá an ghrian ar do chraiceann – rud nach dtarlódh in Éirinn ach go hannamh. D'amharc sí suas ar an spéir agus chonaic sí néalta liatha ag cruinniú le chéile. Liath, dubh agus dúliath na dathanna a bhí ar na néalta céanna. Smaoinigh sí arís ceist a chur ar an chéad Éireannach eile a chasfaí uirthi an raibh níos mó ná focal amháin ag Éireannaigh ar néalta. Ba cheart go mbeadh na céadta focal ar néalta, a cheap sí. Smaoinigh sí ar an iascaire ar chas sí air i gConamara. Lá breá grianmhar a bhí ann an lá sin. An lá deireanach grianmhar. Bhí an seanleaid ag cóiriú líonta cois farraige. D'fhiafraigh Brigitte de an mbeadh cead aici a ghrianghraf a thógáil. Thoiligh an seanfhear. Chuaigh Brigitte i mbun oibre agus thóg roinnt pictiúir de. Níor *chorraigh an seanduine a fhad agus a bhí Brigitte i mbun a cheamara. Ghabh Brigitte buíochas leis agus

---

* níor chorraigh sé *he didn't move*

labhair leis an seanfhear. Bhí an chuma air nár thuig sí Brigitte. *Chroith sí a ghuaillí. Thriail Brigitte labhairt leis arís agus dhírigh a méar i dtreo an teach tábhairne: "Deoch." Á, a dúirt an seanduine. *Chlaon sé a cheann; bheadh deoch aige cinnte. D'iompair Brigitte an dá ghloine fhionnfuara beorach as an teach tábhairne. Leag sí síos iad go cúramach in aice leis an fhear. "Sláinte!" a dúirt an seanduine agus é ag tógáil a phionta chun béil. "Prost!" a dúirt Brigitte mar bheannacht. D'ól siad an dá phionta go suaimhneach gan labhairt. Bhí Brigitte sásta leis na pictiúir. Bhí siad as an ghnáth, a shíl sí. Taighdeoir teilifíse a bhí inti agus spéis mhór aici in obair an cheamara. Ba é a mian lá de na laethanta seo bheith ina léiritheoir. Ghlac sí páirt i gcúpla clár teilifíse go dtí seo. Bhí post aici le comhlacht beag léiriúcháin i Köln, cathair nach raibh rófhada ar shiúl óna baile dúchais. Rinne sí clár amháin faoin dúlra ar an Rhein, an abhainn mhór a bhí ina cuisle bheo tríd a ceantar dúchais. Thaitin an obair léi agus thaitin an fhoireann léi. Diaidh ar ndiaidh, bhí sí ag cur eolais ar chleasa na teilifíse, ar an dóigh ar

3

---

chuir léiritheoir, ceamaradóir agus *taighdeoir le chéile. Foireann a bhí iontu gan amhras ach b'éigean do gach duine acu obair mhór a dhéanamh le go n-éireodh leis an chlár. Ba mhór an t-ábhar bróid aici a hainm a fheiceáil ar *theideal creidiúna an chláir. Ba mhór léi go raibh páirt i gcruthú an chláir. Ba mhór léi fosta gur thug na léirmheastóirí moladh don chlár sna nuachtáin áitiúla. Ba mhór an tógáil chroí é sin. Léigh léiritheoir an chláir, Hans-Dieter, an léirmheas os ard. Ba é a deartháir é agus ba é a spreag í an chéad lá le spéis a chur i gcúrsaí teilifíse. Bhí gliondar air agus dúirt léi: "Beidh orainn clár eile a dhéanamh amach anseo. Ceann níos *uaillmhianaí, b'fhéidir, ceann ar dhúlra na hEorpa uilig." Bhí an smaoineamh faoi chlár eile a dhéanamh i gcónaí i gcloigeann Brigitte agus í ag taisteal na hÉireann. Bhí a ceamara agus a *déshúiligh réidh aici i gcónaí. Stad sí am ar bith a chonaic sé radharc as an ghnáth agus thóg pictiúr. Rinne sé nóta de gach rud a chonaic sí agus scrúdaigh sí na grianghraif agus nótaí ag deireadh gach lae.

* taighdeoir *researcher*   * uaillmhianach *ambitious*
* teideal creidiúna *credits*   * déshúiligh *binoculars*

Diaidh ar ndiaidh, thosaigh sí féin agus an seanduine ag caint le chéile. Thuig Brigitte ar ball gur ag caint ar fheamainn a bhí sé. Chuaigh an seanduine agus Brigitte síos chun na trá. Thóg an seanduine píosa amháin feamainne. "An *caisíneach," a dúirt sé. Thóg sé píosa eile. "An *ruálach," a dúirt sé. Thuig Brigitte gur cineálacha éagsúla feamainne a bhí ann. Mar sin féin, bhí sí doiligh ag Brigitte an difear eatarthu a aithint. Lean an seanduine leis agus d'éist Brigitte go cúramach leis. Filíocht a bhí sna hainmneacha céanna. Thóg sí a ceamara amach arís agus thosaigh sí ag tógáil pictiúr. Scríobh sí síos ainmneacha na feamainne de réir mar a dúirt an seanduine iad. Thaitin an lá sin le Brigitte. Thaitin an comhrá idir dhá thír lei; thaitin béasa an tseanduine lei; thaitin eolas an tseanduine léi. Tháinig Brigitte ar an saol i mbaile beag sa Ghearmáin, Boppard-am-Rhein, Boppard cois Rhein. Ní raibh eolas ar bith aici ar an fharraige. B'ionann bheith ag caint leis an seanduine agus oiliúint ollscoile a fháil; b'ionann an seanduine agus ollamh

---

* caisíneach *channel-wrack*
* ruálach *sea-lace*

ollscoile. Ba mhór an pléisiúr bheith ag caint leis. Ba ar an ábhar sin a shocraigh Brigitte go bhfanfadh sí seachtain nó dhó eile in Éirinn. Chuir sí scairt abhaile ar Hans-Dieter agus mhínigh go raibh sí ag tógáil pictiúir spéisiúla gach lá. B'fhiú fanacht, a dúirt sí, tá an tír seo spéisiúil agus tá na daoine níos spéisiúla arís. "Kein Problem," a dúirt sé léi, "fadhb ar bith, cuir cuid acu chugam ar an Idirlíon má bhíonn seans agat". D'fhág sí Conamara agus an fharraige ina diaidh agus chuaigh a fhad leis na sléibhte. Bhí sí ag taisteal ar an bhus lá nuair a stad sí ag baile beag faoin tuath. Bhí Brigitte ag amharc in airde nuair a chonaic sí éan mór ar foluain sa spéir. D'aithin sí láithreach mar *phocaire gaoithe é. Tháinig tiománaí an bhus a fhad leis. "Tá mé ag imeacht," a dúirt an tiománaí. "Fanfaidh mise," a dúirt Brigitte. Chroith an tiománaí a ghuaillí: "Níl tada anseo. Níl tada ar an Bhealach Caol. Bíonn daoine sásta an áit seo a fhágáil."

Dhírigh Brigitte a méar i dtreo na spéire: "Níl an ceart agat. Tá rud éigin anseo – pocaire gaoithe atá ann."

---

* pocaire gaoithe *kestrel*

"Éan? Níl ann ach éan," a dúirt an tiománaí bus agus é ag tosú an innill. "An bhfuil tú cinnte gur mhaith leat fanacht?"

"Tá mé cinnte. Tá spéis agam in éin. Fanfaidh mé." a d'fhreagair Brigitte. Bhain sí déshúiligh as a mála droma agus dhírigh iad i dtreo an éin. Rinne Brigitte iontas den dóigh ar cheap an t-éan beag seo an ghaoth ina sciatháin. Chuir duine áitiúil *forrán uirthi: "Tá *clamháin siar an bealach. Feicfidh tú iad. Agus chonaic mé *cromán lá thuas ar na tailte arda. Ní fheiceann tú mórán cromán in Éirinn anois."

"Go raibh maith agat," a dúirt Brigitte. Thóg sí a mála droma, réitigh an t-ualach ar a droim agus shiúil sa treo a mhol an duine áitiúil dó. Bhí an bealach ciúin ar feadh tamaill bhig ach níorbh fhada gur chuala sí ceol na n-éan thart uirthi. Chonaic sí *rí rua in airde ar géag. Léim dreoilín ó thom go tom. Chonaic sí smólach agus lon dubh ag iascaireacht ar chuibhreann lom, iad ag seilg péisteanna san ithir. Thug sé misneach di an oiread sin éan a fheiceáil. Seans mór go mbeadh an áit seo fóirsteanach do chlár

---

* chuir sé forran uirthi
  he addressed her

* clamhán *buzzard*

* cromán *harrier*

* rí rua *chaffinch*

faisnéise. Tearmann Éireannach na nÉan, a dúirt sí léi féin, dhéanfadh sé sin teideal breá. Ní raibh iomrá ar chlamhán go fóill ach thuig sí go mbeadh uirthi bheith foighneach. Lean sí leis ag siúl siar an bealach. Bhí sí beag beann ar gach rud ach an dúlra. Níorbh fhada, ámh, go bhfaca sí na néalta ag bailiú arís. Bhí rogha le déanamh aici – siúl ar ais agus lóistín a lorg ar an bhaile nó a phuball a chur suas agus an oíche a chaitheamh faoin tuath. D'amharc sí thart. Bhí an áit deas ciúin. Ní raibh teach le feiceáil ná eallach ar bith sna páirceanna. Ní raibh an chosúlacht ar an áit gur talamh príobháideach a bhí ann. Cén dochar puball a chur suas, a smaoinigh sí, ní dhéanfaidh oíche amháin dochar ar bith don timpeallacht? Mhothaigh sí na chéad deora anuas. Tá an cinneadh déanta dom, a smaoinigh sí, tá an fhearthainn chugam. Bhain sí an mála droma dá droim agus d'aimsigh sí áit chiúin a bhí cúpla slat siar ón chosán. Bhain sí an puball as an mhála go gasta. Chuardaigh sí a casúr beag agus chuaigh ag obair go gasta. Bhí an fhearthainn ag titim go trom faoin am ar chuir sí suas é. Shleamhnaigh sí isteach faoin phuball agus tharraing an mála droma isteach ina diaidh. Is cuma faoin fhearthainn, a smaointigh sí, tá bia agam don oíche agus ní bhfaighidh mé bás den tart. Bhí an fhearthainn ag titim go trom. Sea, a smaoinigh Brigitte, is beag is fiú an focal 'samhradh' le cur síos a dhéanamh ar shamhradh Éireannach. Thug sí amharc eile suas i dtreo na sléibhte agus na spéire sular shocraigh sí í féin ina puball. Bhí an áit iargúlta go maith, a smaoinigh sí, ach cén dochar? Bhí sí in Éirinn; bhí sí sábháilte.

Caibidil a Dó

Corp ar an Sliabh

Faigheann Paloma scairt teileafóin ón Mháistir Ó Domhnaill. Tá sé tar éis theacht ar chorp ar an sliabh. Scrúdaíonn Paloma an corp.

Bhí Paloma Pettigrew, garda óg, idir dhá chomhairle. Fuair sí scairt *phráinne óna cara, an Máistir Ó Domhnaill, agus d'fhág sí an oifig láithreach. Bhí tuairim is cúig chiliméadar le taisteal aici idir a hoifig agus an áit a raibh an Dálach – Alt an Iolair, áit iargúlta ar imeall na sléibhte. Bhí práinn leis an turas. Bhí an méid sin cinnte. Rith sé léi gur cheart di na soilse éigeandála agus an *síréana a chur ag dul ar an charr. Shíl sí go

10

---

mb'fhéidir go mbeadh sin áiféiseach. Níor bhain sí úsáid astu sin ó tháinig sí go dtí an Bealach Caol. Níor ghá di iad a úsáid. Is cinnte gur éirigh eachtraí di ó tháinig sí go dtí an ceantar iargúlta seo. Is cinnte go raibh a sciar féin de scéalta aici faoi choirpigh as baile agus chomharsana cantalacha. Ach níor ghá riamh síréana a úsáid. Go dtí anois. Bhain práinn le gach aon soicind dá turas. "Ba cheart dom an síréana a chur ag dul," a smaoinigh sí, "ach má chuirim, beidh gach duine ag rá go bhfuil Starsky agus Hutch ar an bhaile. Beidh siad ag *spochadh asam go ceann i bhfad – go háirithe má tá an Máistir mícheart faoin rud atá feicthe aige."

Chinn sí gan na soilse a lasadh. Thiomáin sí go dian síos bóithre an cheantair. Rinne sí iarracht gan dul róghasta. Tharraingeodh luas rómhór aird uirthi. Bhí an t-ádh uirthi go raibh na bóithre chomh ciúin sin ar maidin. Seans go mbeadh uirthi an teachtaireacht seo a dhéanamh sula músclódh pobal an tsráidbhaile as codladh na hoíche. D'amharc sí ar an ród roimpi – ní raibh oiread is tarracóir

11

le feiceáil. Bhí eolas maith ar an chuid seo den bhealach aici. Is minic a stop sí tiománaithe óga an cheantair agus iad ag scaoileadh a gcuid carranna siar an bealach i dtreo na sléibhte. "Cé thú féin?" a dúirt sí le tiománaí óg amháin, "Michael Schumacher?"

"Ní hé ach Michael McShane," a d'fhreagair tiománaí amháin. Ní raibh a fhios aici an raibh sé ag spochadh aisti nó an amhlaidh nach raibh a fhios aige cérbh é Schumacher. "Tá tú an-ghreannmhar," a dúirt Paloma leis an tiománaí óg, "beidh lá mór grinn againn beirt sa chúirt ar ball." D'imigh an miongháire d'aghaidh an fhir óig.

"Scrios air," a dúirt Paloma léi féin, "tá seo práinneach. Dá mbeadh taisme agam, ní bheadh tógáil mo chinn agam go deo." Bhrúigh sí ar an chnaipe agus d'éirigh *uaill as an charr. "Shílfeá go raibh bean sí sa charr liom," a smaoinigh Paloma, "beidh siad uilig ag caint liom." Chuir sí le luas an chairr. Mhothaigh sí crainn agus fálta an bhóthair ag eitilt thar bráid. Bhí uaill caointeach an tsíréana agus an innill ag cur lena chéile in aon amhrán géar

* uaill *wail*

amháin. Chonaic sí an áit a bhí sí á lorg agus bhrúigh ar na coscáin. Mhoilligh an carr gan stró agus stad go tobann. D'oscail sí an doras go tapa agus léim sí den charr. Ba léir gur chuala an Máistir í. Nocht a chloigeann ag barr an chabhsa. "Paloma! Paloma!" a scairt sé in ard a chinn. "Thuas anseo atá mé. Thuas anseo!" D'ardaigh Paloma a ceann i dtreo a carad. D'aithin sí láithreach go raibh eagla air. Duine *siosmaideach go smior a bhí sa Mháistir. Iarmhúinteoir scoile a bhí ann, staraí áitiúil, duine de na daoine croíúla sin a raibh a chroí agus a anam istigh ina cheantar dúchais féin. Ba é a chuir fearadh na fáilte roimpi an chéad lá riamh; ba é a chuir ar bhealach a leasa í go minic agus í ag cur eolais ar an cheantar. "Paloma! Thuas anseo. Déan deifir," a scairt An Máistir arís. Bhí eagla ina achainí, "Paloma!"

Rinne Paloma deifir. Rith sí síos an cabhsa oiread agus a thiocfadh léi. Mhothaigh sí clábar agus *ithir an chosáin ag meilt faoina bróga. Níor shleamhnaigh sí ná níor thit sí. Dhírigh sí ar ghlór a carad agus rith sí an

* siosmaideach go smior *very sensible*
* ithir *soil*

méid a bhí ina colainn. Bhain sí amach é faoi chúpla bomaite. "An bhfuil tú i gceart?" a d'fhiafraigh sí den Mháistir.

"Tá," a d'fhreagair sé, "rud nach féidir liom a rá faoin chréatúr bocht atá ina luí thíos ansin."

"Tá tú cinnte gur corp atá ann?" a d'fhiafraigh sí de.

"Tá mé cinnte gur corp atá ann," a d'fhreagair sé, "ba bhreá liom a rá nach raibh mé cinnte ach ní thig liom."

"Fear nó bean?" a d'fhiafraigh Paloma de.

D'amharc an Máistir uaithi i dtreo na sléibhte. "Níl mé cinnte de sin," a d'fhreagair sé, "ní raibh sé de chroí ionam dul síos. Ach corp atá ann. Tá mé cinnte de sin."

"Tuigim duit," a dúirt Paloma, "ní gnó d'iarmhúinteoir scoile é seo."

"Ní gnó do dhuine ar bith againn é seo," a dúirt an Máistir.

"Taispeáin dom go díreach an áit a bhfuil an corp," a d'iarr sí air.

"Níl sé i bhfad uainn," a dúirt an Máistir.

Shiúil siad beirt giota beag eile síos an cabhsa. Thiontaigh an Máistir siar agus lean Paloma é. "Thíos ansin," a dúirt sé. "An bhfeiceann tú an corp?"

Chonaic Paloma é gan stró. Bhí duine éigin ina luí thíos i log. Ní raibh bogadh as.

"Níl mise aclaí go leor le dul síos ansin," a dúirt an Máistir. "Shíl mé go mb'fhéidir go raibh an duine gortaithe ach amharc ar an *bhlaosc. Tá an oiread sin fola ann. Tá brón orm nach ndeachaigh mé síos. Ní raibh sé de chroí ionam." Tháinig *tocht ar a ghlór.

"Ná bíodh imní ort. Rinne tú an rud ceart," a dúirt Paloma.

Bhí a fhios ag Paloma láithreach go raibh an té thíos marbh. Chonaic sí coirp roimhe sin agus í ag obair i mBaile Átha Cliath. Tháinig sí ar chorp an chéad bhliain di bheith i mBaile Átha Cliath. Seanduine de chuid na sráideanna a bhí ann. Tháinig sí air ar chúl bialainne mór le rá agus é reoite chun báis maidin gheimhridh amháin. Ní raibh ach

* blaosc *skull*
* tocht ina ghlór *an emotional catch in his voice*

éadaí brocacha air agus clúdach de nuachtáin mar chosaint ar an fhuacht. Ba *thruamhéalach an radharc é, lán chomh truamhéalach leis an radharc seo. D'amharc Paloma síos ar an chorp a bhí ina luí i log. Ar thit an duine síos de thaisme? Ní raibh an cosán chomh rite sin le go ndéanfadh duine ar bith dochar dó féin. Chuaigh Paloma síos go cúramach i dtreo an choirp. Bhí an talamh sleamhain le drúcht na maidine ach níor shleamhnaigh sí. Bhain sí an duine amach. Chuaigh Paloma ar a *gogaidí ina aice leis an chorp go cúramach. Marbh gan amhras, a dúirt sí. Scrúdaigh sí an duine a bhí roimpi. Bean. Bean óg. Sna fichidí a mheas Paloma. Bhí fuil lena ceann, lena droim agus bhí lámh amháin briste pollta. Níorbh aon taisme é seo, a dúirt Paloma léi féin, ach dúnmharú. Scaoil duine éigin an bhean bhocht seo. D'amharc Paloma suas ar an Mháistir. "Fan thusa ansin," a scairt sí, "ní bheidh mise ach bomaite."

Thiontaigh Paloma thart. D'aithin sí ar éadaí na mná gur turasóir a bhí inti. Bhí bróga ceart siúil uirthi agus éadach díonmhar. Scrúdaigh

---

* truamhéalach *pitiful*
* ar a gogaidí *on her hunkers*

Paloma an log. Bhí deora beaga fola le feiceáil. Lean sí iad. Níor thit an bhean seo le haill, ba léir sin. Bhí sí ag rith. Oiread agus a bhí ina corp. Bhí an dara cosán ann agus deora beaga fola fad an bhealaigh. "Scaoil duine éigin an bhean seo faoi dhó," a smaoinigh Paloma. "Bhí sí ag cur fola go tiubh agus í ag rith ag an am céanna. Bhí eagla a báis uirthi. Cibé duine a rinne é seo, rinne sé d'aon turas é. Scaoil sé í ach níor mharaigh sé í. Rith an bhean agus lean sé é. Scaoil sé an dara huair í thíos sa log." Lean sí na deora fola agus tháinig a fhad le puball. Bhí an puball stróicthe as an talamh. Bhí mála droma ina luí ar an talamh agus éadaí scaipthe ar fud na háite. Scrúdaigh Paloma an láthair go géar. Is ansin a chonaic sí an rud a bhí uaithi. Rinne sí a bealach go cúramach tríd na héadaí, chrom síos agus thóg pas ina lámh. "Anois, a stór, cé thú féin," a dúirt Paloma. D'oscail sí an pas. Bhí pictiúr den bhean mharbh agus a hanam in aice láimhe. Léigh Paloma an t-ainm os ard: "Brigitte Schütte."

Caibidil a Trí

Coirpeach

Filleann an dúnmharfóir ar a theach. Baineann sé de a chuid éadaí atá clúdaithe le fuil. Lasann sé tine agus cuireann sé na héadaí air.

Dhruid sé an doras go daingean ina dhiaidh. Mhoilligh sé bomaite. Bhí a chroí ar preabadh. Chuala sé a scamhóga ag bualadh ina chliabh. D'éist sé go cúramach; ní raibh callán ar bith ann. Ní raibh duine ar bith ag teacht ina dhiaidh. Ar a laghad ar bith, bhí an teach seo iargúlta; ní raibh comharsana srónacha ar bith thart. Ní fhaca duine ar bith é ag imeacht go *formhothaithe nó ag teacht ar ais faoi dheifir. D'amharc sé ar a lámha; bhí fuil orthu.

18

* go formhothaithe *stealthily*

Bhí fuil ar a chuid éadaí fosta. Rith sé anonn go dtí an doirteal; thiontaigh sé an sconna go borb; fuair greim ar *ghallúnach agus ghlan a lámha go díograiseach. D'éirigh an t-uisce bándearg ar feadh tamaill bhig. Chuir sé níos mó gallúnaí ar a lámha. *Cheil cúr bán na gallúnaí an fhuil agus scuab ar shiúl í. Bhain sé an tuáille den radaitheoir agus thriomaigh a lámha. D'amharc sé orthu as an úr; bhí siad glan. Thiontaigh sé na lámha thart agus scrúdaigh go mion iad. Bhí siad glan. Ní raibh smál na fola le feiceáil orthu anois. Ach a léine! Bhí fuil ar a léine agus ar a bhriste agus ar a bhróga. Stróic sé na héadaí de féin agus sheas sa chistin ina fho-éadaí. *Charn sé na héadaí ar fad le chéile. Bhí rún aige iad a chur san inneall níocháin ach rinne mé machnamh ar a chás. B'fhéidir nár leor iad a ní; b'fhéidir go bhfanfadh spota beag fola féin ar na héadaí dá níodh sé iad. Bhí go leor clár teilifíse feicthe aige. Thuig sé go dtiocfadh leis an spota is lú fola é a dhamnú sa chúirt. Shocraigh sé go ndófadh sé na héadaí agus na bróga fosta. Ba thrua na bróga a dhó, a shíl sé, bhí siad iontach compordach mar bhróga ach ní raibh

19

---

* gallúnach *soap*
* cheil sé é *it hid it*

* charn sé na héadaí
he heaped the clothes

rogha ar bith eile ann. Seans mór go raibh fuil ar na bróga. Chuir an bhean an oiread sin fola. Ní raibh sé ag súil leis an oiread sin fola. Chonaic sé fuil roimhe sin ach fuil muc agus caorach a bhí ann. Bhí taithí aige ar ainmhithe a thabhairt go dtí an *seamlas ach rud eile ar fad a bhí i bhfuil daonna, i bhfuil mná óige. Tharraing sé cóta den bhalla agus chlúdaigh é féin leis. Thiontaigh sé siar agus chonaic spota nó dhó fola ar urlár na cistine. Caithfidh sé gur shiúil sé ina cuid fola. Bheadh air an t-urlár a ní agus an carr. Bíodh geall go raibh spotaí fola sa charr fosta. Bheadh air gach rud a dhéanamh go gasta. Ní raibh sise, ní raibh a corp, rófhada ar shiúl uaidh. Sin an fáth nach raibh an fhuil tirim go fóill. Thiocfadh na Gardaí chuige go cinnte. Ba ghá an fhianaise a scriosadh ba ghá ailibí a chothú. Chruinnigh sé na balcaisí le chéile agus thug aghaidh ar an gharraí. Rith sé go bun an gharraí agus chuir an t-iomlán léir in aon mholl amháin. Chruinnigh sé adhmad agus craobhacha le chéile agus chaith sin ar mhullach na mbalcaisí. Bhain sé de a stocaí sa deireadh agus chaith iad sin ar bharr na

20

* seamlas *slaughter-house*

nduilleog. Fuair sé peitreal as canna agus chaith sin ar gach rud. Níor stad sé go dtí go raibh an t-iomlán léir *ar maos i bpeitreal. Is ansin a chuala sé é. Síréana! Bhí na Gardaí ag teacht. Bhí an bhitseach sin de Gharda ar an eolas faoin dúnmharú cheana féin. Bhí sí ag teacht le é a ghabháil. Cipín. Cuir cipín leis an iomlán nó caithfidh tú do shaol ar fad faoi ghlas. Cipín! Cipín! *Ransaigh sé an chistin agus tháinig ar bhosca. Tharraing sé amach é agus caith ar an tine chnámh é. Níor tharla tada. Scrios ort, a dúirt sé, tá a fhios agat conas tine a lasadh. D'aimsigh sé *ceirteach agus chuir i bpeitreal é. Síréana! Bhí sí ag tarraingt air. Las sé an cheirteach gan stró agus chaith ar an tine chnámh í. Bhí moill bheag ann sular éirigh an toit in airde. Chonaic sé *bladhmanna ag éirí ar ball. Bhí an lá leis. Bhí tine ann. Charn sé tuilleadh brosna ar an tine. Bhí sé sábháilte. Ní bhfaigheadh an garda sin fianaise ar bith anseo. Ach an carr! Cad é faoin charr? Bhí síréana le cluinstin go fóill. Rith sé anonn go dtí an teach agus líon buicéad uisce. D'oscail sé doras an chairr agus chaith an t-uisce

---

* ar maos *soaked*
* ransaigh sé *he searched*
* ceirteach *rag*
* bladhmanna *flames*

isteach. Fuair sé an dara buicéad agus an tríú buicéad agus chaith isteach iad. Ba chuma leis suíocháin an chairr a scrios. Ba chuma go raibh suíocháin an chairr ar maos. Ní chaithfeadh sé lá i bpríosún. Scriosfadh sé an fhianaise. Chuir sé cluas le héisteacht air féin. Bhí fuaim an tsíréana ag imeacht. Ní raibh na Gardaí ag teacht! Bhí sé sábháilte. Glanfaidh mé an carr, a smaoinigh sé, glanfaidh mé an carr agus cumfaidh mé ailibí. D'amharc sé ar an tine chnámh. Bhí *aibhleoga dearga ag léim aisti. Chuir an radharc ifreann i gcuimhne dó féin. An bhean óg sin. An corp sin. Cad chuige a raibh sí ann ar chor ar bith? Cad chuige ar tháinig sí air? Taisme a bhí sa chéad *urchar, a dúirt sé leis féin agus fios maith aige gur ag insint bréag dó féin a bhí sé. Níorbh aon taisme í an chéad urchar. Ná an dara hurchar. Rinne sé *d'aon turas é. Mharaigh sé í d'aon turas. Uirthi féin an locht, a dúirt sé leis féin, ba cheart di aire a thabhairt dá gnóthaí féin. Thiontaigh sé ar ais ón tine agus shiúil isteach sa chistin. Glanfaidh mé an t-urlár anois, a dúirt sé, agus beidh cithfholcadh agam. Ar eagla na heagla.

22

---

* aibhleoga *sparks*   * d'aonturas *deliberately*
* urchar *shot*

Caibidil a Ceathair

Tús maith, leath na hoibre

*Tá *fiosrúchán dúnmharaithe ar siúl ag na gardaí. Is í an Cigire Charlotte Welby atá i gceannas air. Tá sí ag iarraidh labhairt le Paloma.*

Bhí an seomra lán go doras. D'amharc Paloma thart. Is ar éigean gur aithin sí duine ar bith de na gardaí a bhí bailithe le chéile. Shiúil sí síos an seomra. Bhí roinnt de na gardaí áitiúla ina suí le chéile. Shiúil Paloma anonn chucu agus shuigh sí síos. "Bhuel," a dúirt *comhghleacaí dá cuid, "tá maithe móra an Gharda Síochána bailithe le chéile agat."

---

* fiosrúchán dúnmharaithe   * comhghleacaí *colleague*
   murder investigation

"An aithníonn tú iad?" a d'fhiafraigh Paloma de.

"Aithním cuid acu," a d'fhreagair sé, "tá boic mhóra anseo nach bhfeiceann tú ach ar na hócáidí is mó práinn."

"Dúnmharú a bhí ann," a dúirt Paloma, "seo ócáid mhór práinne."

"Gan amhras," a dúirt a comhghleacaí, "tá súil agam go bhfaighidh muid an bastard. *Anbhás den sórt sin a thabhairt ar bhean óg. Tá sé *samhnasach."

"Do bharúil, an bhfaighidh muid é?"

"Beidh le feiceáil," a dúirt a comrádaí, "beidh obair mhór i gceist – agus an t-ádh ina rith linn. Feicfidh muid ar ball cén cineál *fianaise atá againn. Ach rinne tusa an rud ceart. Rinne tú gach rud de réir na rialacha."

Thost Paloma. Bhí an lá a d'imigh thart chomh gnóthach. Mhothaigh sí i ndáiríre go raibh bliain caite aici ar an chás seo agus ní lá. Ní raibh i gceist ach 12 uair an chloig ón am ar chuir an Máistir scairt uirthi go dtí an cruinniú seo. Tréimhse ghairid ar go leor bealaí ach tréimhse fhada ar bhealaí eile.

----
* anbhás *violent death*
* samhnasach *nauseating*

Rinne sí teagmháil le hoifigigh shinsearacha láithreach; b'éigean di láthair an dúnmharaithe a choinneáil slán; fios an bhealaigh a dhéanamh don fhoireann eolaithe; tuairisc a dhéanamh le bleachtairí agus tuairisc a thabhairt arís leis na hoifigigh shinsearacha. Bhí sí réidh le codladh faoin am seo ach chuir corp truacánta Brigitte ó chodladh í. Ba bhrúidiúil an bás a thug duine éigin uirthi. Anbhás, mar a dúirt a comrádaí. Ní chodlódh sí néal go dtí go bhfhaigheadh sí greim ar an dúnmharfóir lofa.

Thost gach duine sa seomra. Shiúil bean mheánaosta go barr an tseomra. Sheas sí ag an seastán agus réitigh a *sceadamán. Thit ciúnas ar gach duine. D'amharc Paloma ar a comrádaí agus d'fhiafraigh go ciúin: "An aithníonn tú í?" Chroith sé a ghuaillí mar fhreagra ar a ceist.

Thosaigh an bhean ag labhairt: "Is mise an Cigire Charlotte Welby. Mise a bheidh i mbun an fhiosrúcháin seo ó lá go lá. Níl aithne agam ar gach duine anseo. Cuirfidh mé aithne oraibh ar ball agus muid ag obair. Tá mórán le

---

* fianaise evidence
* sceadaman *throat*

déanamh againn ach ba mhaith liom aon rud amháin a rá ar dtús: caithfidh muid greim a fháil ar an té a dhúnmharaigh Brigitte agus caithfidh muid sin a dhéanamh go luath. Is namhaid againn an t-am. Tugann imeacht gach aon nóiméid deis don duine seo éalú. Níor mhaith liomsa ná libhse go dtarlódh sé seo. Mura ndéanann muid tada eile le linn dúinn bheith inár nGardaí, déanfaidh muid an rud seo – gabhfaidh muid an bastard seo agus cuirfidh muid i bpríosún é."

Stad Welby den chaint. Mhothaigh Paloma go raibh a comrádaithe ag éirí tógtha le caint Welby. Bhí sí á *ngríosú chun gnímh agus bhí sé ag téamh lena cuid cainte. Sea, an bastard a cheapadh agus a ghabháil.

Thosaigh Welby ag caint arís: "Tá Brigitte Schütte inár gcuideachta anocht. Tá sí ina *haoi gan iarraidh ar an ócáid seo. De réir a chéile, beidh mise agus sibhse ag cur aithne ar Bhrigitte. Cuirfidh muid aithne ar a cairde agus ar a saol. Tá sí gan labhairt ach níl sí gan ghlór. Labhróidh mise agus tusa ar a son. Tabharfaidh muid glór di agus don éagóir a

---

* gríosú *incite*
* aoi *guest*

rinneadh uirthi. Má éiríonn sibh tuirseach, smaoinígí ar an bhean bhocht seo. Má éiríonn sibh cantalach liomsa, smaoinígí ar an bhean bhocht seo. Má thagann lagmhisneach oraibh, smaoinígí ar an bhean bhocht seo."

Stad sí ag caint arís. D'amharc Welby thart. Lig sí dá cuid focal dul i bhfeidhm ar a raibh bailithe le chéile. "Anois," a dúirt sí, "chun oibre. Seo an t‑eolas atá bailithe againn go dtí seo. Brigitte Schütte atá ar an *íobartach. Turasóir as an Ghearmáin ar saoire anseo. Bhí sí cúig bliain is fiche d'aois agus post aici mar thaighdeoir teilifíse. Tháinig sí anseo ar an bhus agus thuirling tráthnóna inné. Cheannaigh sí roinnt nithe san ollmhargadh. Sin an uair dheireanach a chonaic duine ar bith beo í. Chuir sí a puball ar imeall na páirce náisiúnta. Scaoileadh faoi dhó í. Measann muid gur ar maidin a tharla sé. *Gunna gráin an gléas marfach. Ciallaíonn sé sin nach fiú biorán na hurchair atá againn. Ach ciallaíonn sé fosta gur mó seans gur duine áitiúil a mharaigh í. Is é an chéad rud a dhéanfaidh muid *ceadúnas gunna gach duine ar an

---

* íobartach *victim*
* gunna gráin *shotgun*
* ceadúnas gunna
  gun license

Bhealach Caol agus sa cheantar máguaird a scrúdú. Rachaidh muid ó theach go teach, scrúdóidh muid na gunnaí agus gheobhaidh muid amach cén ailibí atá ag na húinéirí."

Stad Welby bomaite agus thóg slog as gloine uisce a bhí ar an tábla.

"Anois, bíodh is go bhfuil a fhios againn nach fiú biorán an *fhianaise ón ghunna gráin, ní hionann sin agus a rá go bhfuil a fhios sin ag an dúnmharfóir. Bígí ar bhur *n-airdeall. Seans go dtig linn é a scanrú. Bígí ar bhur n-airdeall ar dhuine ar bith a deir nach bhfuil gunna aige nó a deir go bhfuil a ghunna caillte. Ná déanaigí *paidir chapaill de sin ar leac an dorais acu. Is fearr an t-eolas sin a thabhairt do na bleachtairí. Tá an gunna thar a bheith tábhachtach. Is beag eile fianaise atá againn. Is trua gur dúnmharú faoin tuath atá ann nó níl aon CCTV ar na cosáin tuaithe," a dúirt sí go searbh.

Rinne an chuideachta gáire dóite, Paloma ina measc.

---

* urchar *bullet*

* fianaise *evidence*

* ar airdeall *on the look-out*

* paidir chapaill *a long drawn-out story*

"An bhfuil Paloma Pettigrew anseo?" a d'fhiafraigh Welby.

Phreab Paloma nuair a chuala sí a hainm. Sheas sí agus dúirt: "Anseo!"

"Ba mhaith liom labhairt leatsa i ndiaidh an chruinnithe seo. Tá a fhios ag an chuid eile agaibh cad é atá le déanamh agus cé hiad bhur gceann foirne. Bímis ag obair!"

Caibidil a Cúig

Ceist

Ceistíonn an Cigire Welby Paloma. An síleann sí gurb e an Máistir a rinne an dúnmharú? Tá imní ar Phaloma.

Chroith Paloma lámha le Welby. "Suímis síos bomaite," a dúirt Welby léi. Bhí Paloma imníoch. An raibh rud éigin as cosán déanta aici? Smaoinigh sí siar ar imeachtaí an lae. Fuair sí an ghlaoch ghutháin óna cara, an Máistir, chuaigh go dtí an láthair in áit na mbonn, scrúdaigh an suíomh agus rinne teagmháil lena ceannfort féin chomh luath agus a thuig sí gur dúnmharú a bhí ann. Chosain sí an láthair gur tháinig cabhair;

rinne sí cur síos cruinn beacht ar gach rud a tharla agus chuidigh sí lena comhghleacaithe canbhásáil a dhéanamh ar na tithe áitiúla. Bhí gach rud déanta mar ba cheart aici. Níor bhaol di.

Mothaigh Welby go raibh imní ar Paloma. "Ná bíodh eagla ar bith ort," a dúirt Welby léi, "níl rud ar bith déanta as cosán agat."

"Is maith sin," a dúirt Paloma, "I ndáiríre, is mór an *faoiseamh é sin a chluinstin. Rinne mé mo dhícheall gach rud a dhéanamh de réir mo chuid traenála. Ach bíonn imní ort ar ócáidí den sórt seo. An ndearna mé dearmad ar rud ar bith? An ndearna mé meancóg? An ndearna mé *faillí?"

"Tuigim sin," a dúirt Welby. "Rinne tú gach rud mar ba cheart. De réir an leabhair, gan amhras. Is é an fáth go bhfuil mé ag iarraidh labhairt leat ná seo: tá aithne agat ar an fhear a tháinig ar an chorp?"

"An Máistir? Tá aithne agam air, cinnte. Fear breá."

"Tá tú cinnte de sin? Tá tú cinnte nach bhfuil

---

* faoiseamh *relief*
* faillí a dhéanamh i rud
  to neglect something

lámh aige sa dúnmharú seo?"

Rinne Paloma *moill bheag sular labhair sí.
An Máistir? Dúnmharfóir? Ní thiocfadh leis.
"Ní hé an cineál sin duine é," a d'fhreagair
Paloma sa deireadh. "Ní dhéanfadh sé sin."

"Tuigim gur cara leat é. Ach déanann cairde féin
rudaí uafásacha in amanna," a dúirt Welby. "Tá
*dualgas ort ceisteanna crua a chur."

"Tuigim an dualgas atá orm," a dúirt Paloma
go teasaí. "Ní *shéanfainn mo dhualgas ach tá
mé cinnte nach ndéanfadh an Máistir
dúnmharú. Ní hé an cineál sin duine é."

Ba í Welby a rinne moill bheag an iarraidh
seo. Scrúdaigh sí cáipéisí a bhí aici. Labhair sí
arís: "Thug tú abhaile é?" a d'fhiafraigh sí.

"Thug."

"Cén chuma a bhí air?"

"Bhí sé tríd a chéile go mór," a dúirt Paloma.

"Tuigim go mbeadh. Ar cheistigh tú é?"

"Oiread agus a thiocfadh liom."

"Ba mhaith liomsa é a cheistiú fosta," a dúirt

32

Welby. "Agus ba mhaith liom go mbeifeá liom. An miste leat?"

"Ní miste liom. Ach ní cheapann tú go ndearna sé é?"

"Níl aithne agam air," a dúirt Welby, "ach níor mhaith liom dul sa seans. B'fhearr liom é a cheistiú go mion. Tá ceist nó dhó le cur agam air – ceisteanna, b'fhéidir, nár rith leatsa."

D'éirigh Paloma imníoch arís. Bhí amhras ar an chigire roimpi. Shíl an cigire go raibh rud éigin déanta as cosán aici. Ach ní raibh. Ní chosnódh sí an Máistir i gcás den sórt seo. Bhí sí cinnte nach ndearna sé é. Gheobhadh an cigire sin amach di féin ar ball.

"Ba mhaith liom bualadh leis an chéad rud ar maidin. Tá rudaí le socrú anseo anocht," a dúirt Welby, "ach labhróidh mé leis amárach. Ba mhaith liom go mbeifeá-sa liom. Tá aithne agat air agus tá fios an bhealaigh agatsa."

"Tá aithne agam air," a dúirt Paloma agus imní áirithe uirthi. An amhlaidh gur chreid Welby go raibh lámh ag an Mháistir sa *choir seo? Bhí dul amú uirthi, a dúirt Paloma léi féin.

---

* coir *crime*

Labhair Welby arís: "Gach seans go gceapann tusa go bhfuil dul amú orm. Cara leat é an fear seo. Tuigim sin. Níl duine ar bith ag iarraidh trioblóid a tharraingt air. Ach ó tharla gur cara leat é, seans nár bhailigh tú gach píosa eolais uaidh. Bhí tú imníoch faoi do chara ach b'fhéidir go ndearna tú dearmad na ceisteanna cuí a chur. Tá sé intuigthe. Níl mise ach ag iarraidh an dúnmharfóir a cheapadh."

"Agus mise," a dúirt Paloma go feargach. "Níor mhaith liomsa go n-éalódh sé."

"Tá a fhios sin agam," a dúirt Welby, "agus sin an fáth gur mhaith liom go mbeifeá liom. Níl olc ar bith agam do do chara. Tá mé cinnte go bhfuil sé *neamhchiontach. Ach ní dhéanfaidh mise faillí i mo chuid fiosraithe. Anois, bí anseo an chéad rud ar maidin."

D'imigh Paloma chun an bhaile. Bhí sí corraithe go maith. Bhí bean óg marbh. Bhí a cara le ceistiú ar maidin agus bhí amhras ar an Chigire Welby roimh a cumas. Bhí oíche *chorrach aici.

* neamhchiontach *innocent*
* corrach *uneasy*

Caibidil a Sé

Amhras

Labhrann an dúnmharfóir le fear a' phoist. Cuireann sé amhras ar an Mháistir Ó Domhnaill. Cén fáth go raibh sé ar an sliabh chomh luath sin ar maidin?

Maidin a bhí ann. Chuala sé an cnagadh ar an doras. Bhain sé preab as. An iad na Gardaí a bhí i ndiaidh teacht faoina choinne? Chaith sé an oíche ar fad ina shuí. Stán sé ar an doras ar feadh na hoíche agus é ag fanacht leis na Gardaí. Is ar éigean a chodail sé néal. Chorraigh an fhuaim ba lú é. Ní raibh a fhios aige cé acu a ba cheart dó teitheadh nó troid.

Bhí mála lán éadaí agus pas ar an tábla. Smaoinigh sé gur cheart dó dul isteach go dtí an banc agus moll mór euro a fháil amach as. Thiocfadh leis ticéad eitleáin a cheannach agus bheith ar an mhór-roinn faoi mheán lae. Ach tharraingeodh imeacht den sórt sin aird na nGardaí air féin. Bhí an gunna gráin aige go fóill. Thiocfadh leis troid. Ach thuig sé nach mbainfeadh sé an troid sin. Dá mhéid a eagla roimh phríosún, ba mhó a eagla roimh bhás. Shocraigh sé sa deireadh an gunna a chur i bhfolach. Teitheadh – an rogha ab fhearr leis. Ach ní dhéanfadh sé sin go dtí an nóiméad deiridh. Rachadh sé go dtí an banc agus cúpla míle euro a fháil amach. Ar eagla na heagla.

Chuala sé cnag eile ar an doras. Thug sé *spléachadh slítheánta amach ar an fhuinneog. Fear an phoist a bhí ann. Chuala sé é ag bualadh cnag ar an doras arís ach níor fhreagair sé. Bhí rún aige ligean air nach raibh sé istigh. Smaoinigh sé ansin gur drochphlean a bhí ann. B'fhéidir gur mó aird a bheadh ag daoine air mura mbeadh sé ann. B'fhéidir go rachadh fear an phoist chuig na

* spléachadh slítheánta
  a sneaking glance

Gardaí le hinsint dóibh go raibh sé ar iarraidh. D'oscail sé an doras go drogallach. Tharraing sé ciarsúr as a phóca. "Mo leithscéal," a dúirt sé le fear an phoist, "tá mé tinn le cúpla lá. Is ar éigean atá tógáil mo chinn agam. *Ulpóg, tá mé ag déanamh."

Níor thug fear an phoist aird ar bith air. Labhair sé go tapa. Bhí fear an phoist ar bís lena scéal a roinnt leis. "Chuala tú faoin rud a tharla?" Fear an phoist a bhí ag cur ceist. Stad sé bomaite sular fhreagair sé. Níor mhaith leis barraíocht a rá. Dá ndéarfadh sé rud éigin as cosán, an gcaithfeadh sé amhras air féin? "Bhuel, ar chuala tú faoin rud a tharla in Alt an Iolair? Faoin bhean bhocht sin?" a d'fhiafraigh fear an phoist de arís. "Tá gach duine ag caint fúithi. Fuair sí anbhás. Anbhás, a dhuine. Cé a dhéanfadh a leithéid?" a dúirt fear an phoist. Bhí tocht ina ghlór. "Tá iníon agam féin. Dá dtarlódh an rud céanna di. Dia idir sinn agus gach olc. Níl a fhios agam conas a bheinn. Anbhás. Cé a dhéanfadh a leithéid?"

Thug fear an phoist na litreacha dó. Thóg sé iad go drogallach. Amadán d'fhear an phoist.

---

* ulpóg *a severe cold*

*Béalastán. "Ar chuala tú...?" a d'fhiafraigh fear an phoist. Lig an fear eile air féin nach raibh a fhios aige tada. "Níor chuala mé tada," a dúirt sé, "tá mé i mo luí tinn. Ulpóg a dúirt mé. Níor fhág mé an teach le lá nó dhó." Bréag a bhí ann. Deargbhréag. Bhí fear an phoist ag caint arís ach níor chuala an fear eile ach "anbhás". Bhí an focal greamaithe dá chluasa. Anbhás. Chonaic sé an t-anbhás. Chonaic sé an bhean óg; chonaic sé a cuid fola; chuala sé í ag screadach; chonaic sé í ag titim; chuala sé fuaim a ghunna féin agus bholaigh sé púdar agus fuil in aer na tuaithe. "Tá na Gardaí an-ghnóthach," a dúirt fear an phoist, "ní fhaca mé an oiread sin Gardaí riamh."

Chuir an fear eile cluas le héisteacht air féin: "Gnóthach? Cad é an dóigh?"

"Tá siad thíos ag teach an Mháistir. Chonaic mé ar ball iad. Paloma agus bean eile ina cuideachta. Tá an bhean eile i mbun an fhiosraithe, tá a fhios agat. An chuma uirthi go bhfuil fios a gnó aici. Bean chumasach. Sin an chuma a bhí uirthi."

"Thíos leis an Mháistir, a deir tú?"

"Sea. Sin an fear a tháinig ar an chorp. Tá sé tríd a chéile go mór. Thuigfeá dó. Tríd a chéile go mór," a dúirt fear an phoist. Chorraigh an nuacht seo an fear eile. An bhféadfadh sé leas a bhaint as, an béalastán seo d'fhear an phoist a úsáid?

"An Máistir! Ná habair gurbh eisean a rinne?"

"Ní hé," a dúirt fear an phoist. "Eisean a tháinig ar an chorp, ar an bhean bhocht."

"Agus tá tú cinnte nach bhfuil níos mó i gceist?"

"Arú! Seafóid. Tá aithne agat air oiread chéanna liom féin. Cad chuige a ndéanfadh?"

D'fhan an fear eile tamall beag sular labhair sé. Ba *ghá amhras a chur ar an Mháistir. Ach níor mhaith leis bheith ródhalba ina chuid cainte. Ba ghá bheith cúramach; ba ghá bheith glic; ba ghá bheith slítheánta.

"Ó, tá aithne agam air. Fear breá. Ach eisean a tháinig uirthi agus tá na Gardaí ag caint leis. B'fhéidir go bhfuil níos mó ná caint i gceist? B'fhéidir gur agallamh atá ann. Eisean a

39

---

* béalastan *bletherskate*
* ba ghá *it was necessary*

tháinig uirthi. Áit uaigneach é Alt an Iolair. Cén fáth go raibh an Máistir ann ar chor ar bith?"

Chonaic sé amhras i súile fhear an phoist. "Anois ó luann tú é, is áit uaigneach é Alt an Iolair agus bhí an Máistir ina shuí go luath," a dúirt fear an phoist. D'fhan an fear eile tamall beag bídeach sular labhair sé arís: "Agus seanleaid uaigneach é an Máistir. Seanleaid leis féin. Cá bhfios cad é a tharla? Bean óg, a dúirt tú? Cá bhfios cad é a tharla? Anois, níl mise ag rá go ndearna sé é... ach seanleaid uaigneach é an Máistir."

"Ó, ná mise," a dúirt fear an phoist, "ná mise."

"Fear breá atá ann," a dúirt an fear eile.

"Bullaí fir," a dúirt fear an phoist.

"Ach. Tá na Gardaí á choinneáil, á chur faoi agallamh."

"Sea. D'fhéadfá sin a rá," a dúirt fear an phoist. "Bhuel, tá sé chomh maith agamsa imeacht. Ní shiúlfaidh na litreacha seo as a stuaim féin."

Chuaigh fear an phoist ar ais chun a chairr. Scrúdaigh an fear eile go géar é. "Tá liom," a dúirt sé leis féin. "Tá amhras air faoin Mháistir. Scaipfidh sé an scéal fud fad an cheantair."

Bhí sé ar tí an doras a dhruidim ina dhiaidh; bhí an dochar déanta aige agus mhothaigh sé faoiseamh ina chroí. Is ansin a scairt fear an phoist air: "Is dócha go mbeidh siad ábalta a chruthú go furasta an ndearna an Máistir é nó nach ndearna. Chuala mise go raibh na Gardaí ag bailiú ábhair ar an suíomh. Má tá aon rud ansin, gheobhaidh siad é. Slán anois."

Dhruid an fear eile an doras go tobann. Bhí míshuaimhneas air. "Má tá aon rud ansin, gheobhaidh siad é," a chuala sé. Ar ghlan sé gach píosa fianaise as an áit? Chuimhnigh sé siar ar eachtraí na maidine. Bhí sé faoi dheifir agus faoi bhrú. Ar fhág sé rud ar bith ina dhiaidh? "Ba cheart dom dul ar ais," a dúirt sé, "ach beidh an áit lofa le Gardaí faoi seo." Rinne sé a mhachnamh ar a chás. Bhí sé eolach ar an cheantar, níos eolaí ná na Gardaí. Ar chóir dó dul sa seans? Ar eagla na heagla? Le fios nó le hamhras?

Caibidil a Seacht

Faoi amhras

*Tugann Paloma agus an Cigire Welby cuairt ar
an Mháistir. Faigheann siad amach cen fáth go
raibh sé ar an sliabh go luath ar maidin.*

Bhí Paloma tostach a fhad agus a bhí sí ag
tiomáint an Chigire Welby go teach an
Mháistir. Bhí fiche ceist ar bharr a teanga aici:
cá huair a bhain tú *ardú céime mar chigire
amach,   conas   mar   a   chaith   do
chomhghleacaithe leat? Ach ní thiocfadh léi na
ceisteanna a chur. Bhí imní ar Phaloma go
raibh a cara, an Máistir, faoi amhras. Bhí imní
uirthi fosta go mb'fhéidir nár cheistigh sí é

---
* ardú céime *promotion*

mion go leor. Bhí sé tríd a chéile. Thuigfeá dó. Bhí sé i ndiaidh teacht ar chorp mná. Cad é an dóigh eile a mbeadh sé ach tríd a chéile? Mar sin féin, ní thiocfadh léi a chreidbheáil go raibh lámh aige sa dúnmharú seo. Ní dhéanfadh sé a leithéid. Duine síochánta a bhí ann; ní duine lán *foréigin. Lean Paloma ag tiomáint go tostach. Níor labhair sí agus níor labhair Welby léi. Sa deireadh, tháinig siad go dtí an teach. "Seo muid," a dúirt Paloma. "Togha," a d'fhreagair Welby. Thuirling siad beirt as an charr. Labhair Welby le Paloma sa deireadh: "Éist. Tuigim gur cara leat é. Ach tá dualgas ortsa mar Gharda. Níl mé ag iarraidh trioblóid a tharraingt air. Níl ann ach gur mhaith liom tuilleadh ceisteanna a chur air – ar eagla…"

"Ar eagla go ndearna mise dearmad ar rud éigin," a dúirt Paloma go giorraisc.

"Sea," a dúirt Welby, "agus cad chuige a mbeifeá i mo dhiaidh mar gheall air sin? Bhí tú faoi bhrú mór. Rinne tú gach rud de réir an leabhair. Níl duine ar bith ag fáil lochta ort as sin. Ach cá bhfios nach bhfuil píosa beag eile

* foréigean *violence*
* leid *clue*

eolais le fáil? An *leid is lú; nod de chineál eile a chuideodh linn. Sin an fáth go bhfuil muid anseo – le heolas a bhailiú."

Thost Paloma. "Tuigim sin," a dúirt sí. "Níl ann ach go raibh an fear iontach cineálta liom nuair a tháinig mé anseo ar dtús. Agus ... bhuel, níor mhaith liom a cheapadh go ndearna mé dearmad ar rud ar bith."

"Tuigim sin. Rachaidh an t-agallamh breise seo chun *sochair dúinn beirt," a dúirt Welby. Shiúil sí i dtreo an dorais agus lean Paloma í. D'oscail an Máistir an doras. Ba léir do Phaloma láithreach nár tháinig sé chuige féin go fóill, go raibh sé go fóill tríd a chéile ag imeachtaí an lae eile. Bhí a aghaidh tláith agus an chuma air go raibh sé ag caoineadh. An raibh sin nádúrtha? a smaoinigh Paloma? Chroith Welby lámh leis agus chuir í féin in aithne don Mháistir: "Mo bhuíochas as bualadh linn arís. Tuigim don uafás a chonaic tú inné. Ach caithfidh mé cúpla ceist eile a chur ort."

"Má thig liom cuidiú ar bhealach ar bith..." a dúirt an Máistir.

Shuigh siad síos sa seomra suí. "Ar mhaith libh bolgam tae?" a d'fhiafraigh sé de na mná. Dhiúltaigh siad. "Tá a fhios agam gur thug tú ráiteas roimhe seo. Agus tá a fhios agam go bhfuil tú *suaite. Ach, mura miste leat, abair liom arís cad é a tharla inné. Cad é a chonaic tú?"

Thosaigh an Máistir ag insint a scéil arís. Chuir sé síos ar an radharc; ar an bhean óg; ar an fhuil. Stad sé bomaite. Bhí tocht ina ghlór: "A leithéid a dhéanamh ar bhean óg. A leithéid d'fhoréigean."

Thost Welby. Bhí sí ag déanamh réidh le ceist eile a chur. D'éirigh Paloma imníoch. "Seo anois é," a smaoinigh sí, "seo anois an cheist mhór: an ndearna tú é?"

Ní raibh an ceart aici. Labhair Welby go ciúin: "Tá rud amháin nach dtuigim. Cad chuige a raibh tú féin i do shuí chomh luath sin ar maidin?"

"Cad é?" a dúirt an Máistir. Bhí an chuma air go raibh *mearbhall air.

"Áit iargúlta atá ann mar Alt an Iolair. Áit measartha *sceirdiúil. Tuigim go mb'fhéidir go

---

* suaite *shaken*
* bhí mearbhall air
  he was confused

* sceirdiúil *bleak*

mbainfeá sult as spaisteoireacht thart ansin. Ach chomh luath sin ar maidin? Nach bhfuil baol ann go dtitfeá féin?"

"Chomh luath sin ar maidin," a dúirt an Máistir, "faraor, nach raibh mé leathuair níos luaithe. Mall a bhí mé an mhaidin sin. Mall ag dul thart. Bhí an baol ann go bhfeicfeadh daoine mé."

Phreab croí Phaloma. Conas? An admháil í seo go raibh sé ciontach?

"Cén difear a dhéanfadh sé é dá bhfeicfeadh daoine thú?" a d'fhiafraigh Welby, "cad é atá le ceilt agat?"

"Rún atá ann," a dúirt an Máistir, "rún nach bhfuil ar eolas ag Paloma féin."

A Dhia, a smaoinigh Paloma, bhí lámh aige sa dúnmharú.

"Tig leat do rún a scaoileadh anois," a dúirt Welby. "Tá bean óg marbh. Ní fiú biorán do rún anois."

"Sea, is dócha go bhfuil an ceart agat. Tá an ceart agat gur áit uaigneach sceirdiúil é Alt an Iolair. Ach níl sé uaigneach ná sceirdiúil go leor. Bhí mise ag coinneáil súil ar nead na n-éan. Bhí duine éigin ag goid na n-uibheacha agus d'iarr an Roinn orm súil a choinneáil ar na neadacha," a dúirt an Máistir.

Ba bhocht an leithscéal é, a cheap Paloma. Ach lean Welby den cheistiú: "Agus cuireann tú tú féin i gcontúirt le súil a choinneáil ar na neadacha?"

"Ní hé sin é go hiomlán," a dúirt an Máistir, "coinním súil ar an tsúil a choinníonn súil ar na neadacha."

"Ní thuigim sin," a dúirt Welby, "coinníonn tú súil ar an tsúil a choinníonn súil ar na neadacha. Cén chiall atá leis sin? Tomhas páiste atá i gceist agat?"

"Ní hé, a chigire. Mo leithscéal. Coinním súil ar na ceamaraí," a dúirt an Máistir.

"Na ceamaraí!" a dúirt Welby agus Paloma as béal a chéile.

"Go díreach. Coinním súil ar éan amháin ach go háirithe – an *Cúr Rua. Éan ar leith atá ann. Is fada ó bhí na héin sa cheantar seo. Shocraigh an Roinn ar scéim cúpla bliain ó

_____

* cúr rua *red kite*

shin leis na héin a thabhairt ar ais anseo. Ar an drochuair, bhí duine éigin ag goid na n-uibheacha. Shocraigh an Roinn cúpla ceamara digiteach a chur in aice leis na neadacha leis an ghadaí a cheapadh. Fágadh fúmsa an t-ábhar a bhailiú. Ach b'éigean dom é a dhéanamh go luath ar eagla an gadaí a chur ar an eolas. Bhí mé mall maidin inné. De ghnáth, bailím an diosca roimh bhreacadh an lae. Tá seaneolas agam ar an cheantar. Dá mbeinn ann leathuair ní ba luaithe. Leathuair! B'fhéidir go mbeadh an bhean óg sin beo go fóill."

Níor labhair duine ar bith ar feadh tamaill bhig. Ansin, chuir Paloma an cheist a bhí ar bharr a teanga: "Agus ar bhailigh tú an diosca inné?"

"Níor bhailigh," a dúirt an Máistir, "bhí mé ar mo bhealach nuair a tháinig mé ar an chorp. Beidh an ceamara ann go fóill gan amhras, ag *taifeadadh gach rud."

"Ceamara!" a dúirt Welby os ard, "ceamara! Seans go bhfuil an dúnmharfóir le feiceáil ar cheamara!"

* taifeadadh *recording*

Caibidil a hOcht

* i ndílchuimhne

Téann Paloma suas ar an sliabh. Smaoiníonn sí siar ar an doigh a fuair siad greim ar an dúnmharfóir. Tá deartháir Brigitte san áit inár maraíodh a deirfiúr.Tá comhairle ag Paloma dó

Bhí bliain imithe. Bhí Paloma amuigh ag siúl. Bhí bláthanna ina glac aici. Bhí comóradh le déanamh aici agus paidir le cur le hanam carad. Shiúil sí ar a suaimhneas i dtreo Alt an Iolair. Ba bhocht an bhliain í ar go leor bealaí agus ba thapa mar a d'imigh an bhliain thart. Smaoinigh sí siar ar an mhaidin sin bliain ó shin; ar an scairt ón Mháistir; ar an radharc a

* i ndílchuimhne *in loving memory*

bhí roimpi nuair a bhain sí Alt an Iolair amach. Chonaic sí go fóill corp Bhrigitte ina hintinn agus an t-anbhás a fuair sí. Smaoinigh sí siar ar an phráinn a bhain leis an lá; ar a cuid iarrachtaí féin an coirpeach a cheapadh; ar fhiosrúchán an Chigire Welby agus, an chuid is fearr de, mar a fuair siad greim ar an dúnmharfóir. D'oscail sé an doras go giorraisc nuair a chonaic sé Paloma agus Welby ag teacht chun tí: "Labhair mé le do chomhghleacaithe roimhe seo," a dúirt sé go borb leo, "níl am ar bith agam bheith ag plé le beirt bhan eile."

"Tuigim duit," a dúirt Paloma, "ní choinneoidh muid i bhfad thú" agus tharraing sí pictiúr de as a mála. "Tógann tú pictiúr maith, *Cauldwell," a dúirt Paloma, "d'aithin mé d'aghaidh chomh luath agus a chonaic mé thú. Pian san aghaidh a bhí ionat riamh ach níor shamhlaigh mé go mbeifeá toilteanach bean a mharú."

"Sea," a dúirt Welby. "D'aithin gach duine thú chomh luath agus a chonaic siad do ghnúis ghránna." Bhí Cauldwell ina sheasamh gan chorraí as. Ní thiocfadh leis bogadh. Bhí sé

* Féach 'Dlíthe an Nádúir' le Pól Ó Muirí

gafa. Bhí a aghaidh le feiceáil go soiléir sa phictiúr agus lámh amháin sínte i dtreo nead an chúir rua agus a cuid uibheacha. Bhí sé gafa ach rinne sé iarracht é féin a chosaint: "Níl ann ach go raibh mé ag goid uibheacha. Níor mharaigh mé an bhean sin. Na huibheacha a bhí uaim. Ceannaíonn daoine iad."

Bhréagnaigh na huibheacha féin an scéal sin. Bíodh is go ndearna sé gach iarracht an fhianaise eile a scriosadh, choinnigh sé na huibheacha. Fuair na *saineolaithe aon spota amháin fola orthu. Fuil Bhrigitte a bhí ann. Bhí sé gafa agus bhí sé damnaithe.

Bliain, a smaoinigh Paloma, bliain is an mhaidin inniu. Is tapa mar a imíonn an t-am. Bhí Brigitte bhocht ar ais sa Ghearmáin; bhí Cauldwell i bpríosún agus fad saoil gearrtha air; bhí Welby i mbun fiosrúcháin eile agus ardú céime faighte aici ó shin agus bhí Paloma go fóill ina cónaí ar an Bhealach Caol. Aisteach go leor, ní raibh uaillmhian ar bith aici an ceantar a fhágáil, rud a chuir iontas uirthi féin. Thiocfadh léi imeacht; bhí an seans sin ann ach bhí sí socair. "Tá saol mór

---

* saineolaithe *experts*

gránna amuigh ansin," a dúirt Welby léi, "thiocfadh leat maith mhór a dhéanamh."

Rinne Paloma machnamh ar a cás. "Tá barúil agam," a dúirt sí sa deireadh, "go bhfuil an saol mór gránna sin ag teacht chugainn. B'fhearr liom fanacht anseo agus mo phobal féin a chosaint air oiread agus is féidir liom." Agus d'fhan. Agus chuir sí múineadh ar thiománaithe óga agus ar lucht óil an cheantair agus rinne sí fiosrúchán faoi *bhó bhradach agus, anois agus arís, tháinig sí ar eolas agus ar ráflaí faoi dhrugaí nó ábhar níos *tromchúisí agus sheol an t-eolas sin ar aghaidh chuig an údarás cuí. Ní raibh aiféaltas ar bith uirthi gur fhan sí. Ba é an cinneadh ceart é.

Tháinig sí go barr an chabhsa agus an áit ar maraíodh Brigitte Schütte. Bhí cros bheag adhmaid san áit ar thit sí. Ach bhí duine eile ann roimh Paloma. Fear. D'aithin sí láithreach é – Hans-Dieter, deartháir Bhrigitte. Chuala sé Paloma ag teacht agus thiontaigh thart. Oiread chéanna le Paloma, bhí bláthanna ina glac aige agus ba léir go

* bó bhradach *trespassing cow*
* tromchúiseach *serious*

raibh sé ag caoineadh. Bhí a shúile dearg ata. "Tá aithne shúl agam ort," a dúirt sé go ciúin. Chuir Paloma í féin in aithne. "Ah, tá cuimhne agam ort anois," a dúirt sé sular thost sé. Níor labhair Paloma. "Tá bláthanna agat do Bhrigitte?" a dúirt Hans-Dieter.

"Tá. Níor mhaith liom go ndéanfaí dearmad di," a dúirt sí.

"Ní dhéanfaidh mise dearmad di go deo," a dúirt sé, "ba í an bhean ab fhearr í." Bhí tocht ina ghlór agus deora ina shúile. "Ní dhéanfaidh mise dearmad di go deo."

Chrom Paloma síos agus leag sí na bláthanna in aice leis an chros. Ghearr sí comhartha na croise uirthi féin agus dúirt paidir chiúin. "Ní chuirfidh mé isteach ort a thuilleadh," a dúirt sí. Rinne sí réidh le himeacht. "Fan," a dúirt Hans-Dieter. "Fan liom tamall, mura miste leat."

"Ní miste," a dúirt Paloma. Is ansin a chuala sí é, scréach éin. D'amharc sí in airde. "Amharc!" a dúirt sí le Hans-Dieter, "amharc!" Dhírigh sí méar i dtreo na spéire: "Cúr rua atá ann. Cúr rua."

"Ba bhreá le Brigitte sin a fheiceáil. Bheadh gliondar uirthi," a dúirt Hans-Dieter.

"Nach léiritheoir teilifíse thusa?" a dúirt Paloma, "nach ndéanfá clár faoin chúr rua agus cloch a chur i *leacht do dheirfiúr? Tá deis agat cur i gcuimhne do dhaoine gur bhean lán beochta í." Stad Paloma de bheith ag caint. Bhí aiféaltas uirthi. Bhí barraíocht ráite aici. Thost Hans-Dieter. Bhí sé ag machnamh. Faoi dheireadh, labhair sé: "Déanfaidh. Déanfaidh. Déanfaidh mé an méid sin féin ina cuimhne."

Agus d'eitil an cúr rua ar a shuaimhneas os cionn Alt an Iolair.

---

* cloch a chur ina leacht
  to commemorate her

Gluais

aibhleog *spark*

anbhás *violent death*

aoi *guest*

blaosc *skull*

carnaim *I heap*

cheil sé é *it hid it*

comhghleacaí *colleague*

corrach *uneasy*

d'aonturas *deliberately*

déshúiligh *binoculars*

dílchuimhne *loving memory*

dualgas *obligation*

dunmharú *murder*

fail-lí a dhéanamh i rud *to neglect something*

faoiseamh *relief*

fianaise *evidence*

fiosrúchán *investigation*

formhothaithe *stealthily*

gá: ba ghá *it was necessary*

gallúnach *soap*

gogaidí *hunkers*

gríosú *incite*

ithir *soil*

moill *delay*

paidir chapaill *a long drawn-out story*

práinn *emergency*

samhnasach *nauseating*

sceadaman *throat*

séanaim *I deny*

siosmaideach go smior *very sensible*

síréana *siren*

spléachadh slítheánta *a sneaking glance*

spochadh as *make fun of*

tocht ina ghlór *an emotional catch in his voice*

truamhéalach *pitiful*

uaill *wail*

ulpóg *a severe cold*

urchar *shot*

Má thaitin leat an t-úrscéal seo faoin gharda Paloma b'fhéidir gur mhaith leat na leabhair eile sa tsraith a léamh. Anseo thíos tá eolas ina dtaobh.

Paloma *le Pól Ó Muirí*

Tá an bleachtaire Paloma Pettigrew ar thóir mangaire drugaí sa chathair ach déanann sí tuaiplís mhór agus cuirtear go dtí áit iargúlta faoin tuaith í. Tá grúpa teifeach ón Bhoisnia lonnaite ar láthair carabhán ann. Fuadaíonn coirpeach cogaidh duine de na teifigh, bean óg darbh ainm Marika, agus téann Paloma sa tóir orthu. Tá míniú ar na focail agus nathanna cainte deacra ag bun an leathanaigh agus sa ghluais ag deireadh an leabhair.

Detective Paloma Pettigrew is in pursuit of a drugs dealer in the city but makes a serious blunder and is sent to an isolated area in the country. A group of refugees from Bosnia have been settled on a caravan site there. A war criminal kidnaps one of the refugees, a young woman called Marika, and Paloma goes to her rescue. Difficult words and phrases are explained

at the bottom of each page and in the glossary at
the end of the book

ISBN 095-26306-7-2   Praghas €6.80

*Tá an leabhar seo ar fáil freisin le CD agus
an scéal á léamh ag Siuán Ní Mhaonaigh.
Praghas €16.00*

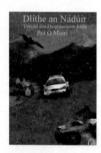

Dlíthe an Nádúir *le Pól Ó Muirí*

Tá an Garda Paloma sásta bheith
ina cónaí faoin tuaith. Ní mó ná
sasta atá sí ámh nuair a bhuaileann
feirmeoir, darbh ainm Cauldwell, go
feargach ar a doras go moch ar
maidin, lá nach bhfuil sí ar diúité. Tá ochto caora
dá chuid marbh agus tá Paloma go mór in amhras
faoin rachmasaí mór Artúr de Burca. Ach is fear
cumhachtach é de Burca agus imríonn sé galf leis
an Cheannfort Ó Néill. Tá míniú ar na focail agus
nathanna cainte deacra ag bun an leathanaigh
agus sa ghluais ag deireadh an leabhair.

Garda Paloma Pettigrew has settled down happily in the country. However she is not at all happy when a farmer called Cauldwell knocks angrily on her door in the early hours of the morning, on a day that she is off duty. Eighty of Cauldwell's sheep have been found dead and Paloma suspects local business man, Artúr de Burca. But de Burca has friends in high places and plays golf with Superintendent Ó Néill. Difficult words and phrases are explained at the bottom of each page and in the glossary at the end of the book.

ISBN 0-9539973-0-8   Praghas €6.80
Ar fáil fosta le CD   Praghas €16.00

Teifeach *le Pól Ó Muirí*

Scéal Mharika atá anseo, an bhean óg ón Bhoisnia atá anois ina cónaí lena hiníon ar an Bhealach Caol. Cén fáth go raibh uirthi teitheadh óna tír féin? Cad é mar a thaistil sí go hÉirinn? Cad a tharla di nuair a bhain sí Éire amach? Cad iad na constaicí a bhí le sárú aici sula bhfuair sí cead fanacht in Éirinn? Tá freagra ar na ceisteanna seo san úrscéal so-léite gairid seo a thugann léargas ar chruachás teifeach in Éirinn. Tá míniú ar na focail agus nathanna cainte deacra ag bun an leathanaigh agus sa ghluais ag deireadh an leabhair.

This is the story of Marika, the young woman from Bosnia who is now living with her daughter in An Bealach Caol. Why did she have to flee from her own country? How did she travel to Ireland? What happened when she arrived? What obstacles had she to surmount before she obtained permission to remain in Ireland? By answering these questions this easy-to-read novel gives an insight to the plight of refugees in Ireland. Difficult words and phrases are explained at the bottom of each page and in the glossary at the end of the book.

ISBN 0-9539973-4-0

Praghas €6.80